그 림 풍 수
인 테 리 어 ┃ 행 운 을 부 르 는
불 행 을 부 르 는 그 림

그 림 에 서 나 오 는
마법의 기적

크리에이터 양산의영웅 지음

그림에서 나오는 마법의 기적

발   행 | 2023년 12월 12일
저   자 | 양산의영웅
펴낸이 | 한건희
펴낸곳 | 주식회사 부크크
출판사등록 | 2014.07.15.(제2014-16호)
주   소 | 서울특별시 금천구 가산디지털1로 119 SK트윈타워 A동 305호
전   화 | 1670-8316
이메일 | info@bookk.co.kr

ISBN | 979-11-410-5762-6

그림에서 나오는 마법의 기적

양산의영웅 지음

2016년도부터 흉가와 폐가 체험이라는 콘텐츠를 진행하고 있는 인터넷방송 스트리머로 활동하고 있습니다.

8년 동안 여러 사연이 있는 흉가나 폐가를 약 2000 여채 이상을 다니며 풍수적으로 흉가나 폐가 된 집을 분석하고 관찰해 왔으며 첫 종이책으로 '보이지 않는 에너지의 법칙'이라는 풍수 인테리어 책을 출판하기도 하였습니다.

독특한 이력으로 STATV 숙희네 미장원, MBC 행복한 금요일, NBN 특종 세상 등 다수의 방송 출연 경력이 있습니다.

목
차

이런 그림이나 사진은 가정집에 걸어두세요.

이런 그림이나 사진은 가정에 있으면 안 돼요.

좋은 그림은 걸어두는 위치도 중요해요.

자녀 방의 그림은 자녀의 미래가 달렸어요.

손님을 끌어모으는 마법의 그림이 있다?

스마트폰 배경으로 넣어야 좋은 그림

종교적인 그림을 가정에 걸어두는 것은 좋은 걸까?

좋은 그림을 걸었는데 변화가 없다면 이렇게 해보세요.

작가의 말

저자는 8년째 흉가나 폐가 체험하는 인터넷 방송인이다.

흉가나 폐가 기타 폐건물을 체험하는 목적은 흔히 요즘에는 '고스트 헌터'라는 말을 쓰기도 하고 '폐건물 탐험가'나 '흉가 폐가 체험러'라는 말을 쓰기도 한다.

'고스트 헌터'는 말 그대로 귀신과 헌팅하다. 라는 의미이며 흉가는 오로지 귀신을 찾고 헌팅 하는 직업으로 인식되어 있으며 '폐건물 탐험가' '흉가 폐가 체험러'는 오래된 건물이나 물건 생활용품 등을 보며 옛날 기억을 떠올리며 감수성을 유발하는 컨텐츠에 가깝기도 하다.

똑같은 흉가 폐가를 체험하는 방송이지만 그 목적이나 말하자고 하는 의도는 조금 다르기도 하고 각자 색깔이 있기도 하지만 저자의 경우는 여러 가지 복합적인 목적으로 컨텐츠를 만드는 방송인이다.

귀신을 찾는 것도 좋고 감수성을 유발하는 것도 좋지만. 일단 보는 시청자들에게 유익하면서도 도움이 되는 것이 뭐가 있을까 생각 한 적이 있다.

그러던 날 우연히 '풍수 인테리어'라는 책을 보게 되었고 집안에 풍수가 잘못된 집은 귀신이 꼬이며 나쁜 기운이 들어오고 그 나쁜 기운을 통해 사람에게 불행한 일이 생길 수 있다는 것은 나 같이 미신을 조장하는 컨텐츠를 만드는 방송인이 아닌 학문적으로 증명된 내용을 전달하는 풍수학자나 동양학 교수들도 똑같이 주장하고 있다는 것에 놀라움이 있었다.

망한 가정집이나 사업장 등을 찾아다녀 공통점으로 알게 된 것은 망하는데 다 이유가 있는 것이며 세상에 이유 없이 결과가 이루어지는 건 없다는 것을 흉가 체험을 하면서 더 크게 깨닫게 된 결정적인 이유이기도 하며 현대 풍수학에서도 증명이 된 것이다.

예전에는 흉가 체험이라는 컨텐츠는 밖으로 드러낼 수 없는 음지의 방송에 가까웠지만 최근 몇 년 전부터 문제가 일어나거나 기타 다른 사유로 뉴스나 언론에 보도 된 적이 많아 지금에서는 음지에서 양지로 나올 듯 한 선에서 유지되고 있다.

합법과 편법 잘못하면 불법일 수도 있는 그 애매한 경계의 컨텐츠라 할 수 있다.

사연이 불분명한 흉가나 폐가는 이유가 어떻든 대부분은 좋지 않은 사유로 그 집을 떠난 것이며 오래전부터 폐허가 된 식당이나 카페 숙박업소 공장 등과 같은 사업장도 사연이 어찌 된들 영업이 제대로 되지 않아 떠난 곳에 대부분이며 장사가 잘되어서 더 좋은 곳으로 갈 수도 있지만 어디 장사 잘되는 가게 내팽개치고 다른 곳으로 떠난다는 것이 어디 그렇게 쉬운 일 일까?

현대 풍수학에서는 집의 위치나 터도 중요하고 집 내부의 물건 배치의 방향이나 청결 등 여러 가지 중요하다고 하지만 집 내부에 거는 그림 역시도 그 집안의 기운을 발휘하는 매우 중요한 요소라 주장하고 있다.

미술 전문가가 아닌데 좋은 그림을 알 수 있을까?

좋은 그림 하면 보통 명화라고 부른다.

하지만 저자는 어떤 그림이 명화인지 구분하지 못하며 어떤 그림이 비싼 그림인지 미술계에서 누가 유명한 화가인지도 모른다. 그런데 명화라고 불리는 그림의 조건은 무엇이고 진정한 명화는 무엇인가? 값비싼 그림? 가격은 누가 정하는 것인가? 유명한 화가가 그린 그림? 유명한 감독이 영화를 만든다고 그 영화가 다 유명 해지진 않는다.

많은 사람이 좋아하는 그림? 대표적으로 유명한 명화는 모나리자 그림이 있는데 모나리자 그림은 어떤 사람이 좋아하는가?

모나리자 그림은 옛날부터 명화로 알려졌으니 그냥 유명한 그림이구나 생각할 수 있지만 모나리자 그림을 진심으로 좋아하는 사람이 많을까? 모나지라 눈빛을 보고 알 수 없는 싸늘하고 오싹한 느낌이 드는 사람이 많을까? 하지만 그래도 모나리자 그림은 명화로 인정을 받은 그림이니 좋은 작품으로 인정할 수밖에 없지만 좋은 작품을 보기 위한 전시회장에 걸어두면 좋은 그림과 나와 우리 가족들만 보면 좋은 그림. 사업장에 걸어두면 좋은 그림은 그 그림에서 나오는 느낌과 성질 장소와 특성에 맞게 걸어두어야 그 기운을 발휘하는 것이다.

그림 하나로 집안에 좋은 기운이 들어올 수 있나?

사람의 행동이나 말, 습관과 생각은 주변 환경과 무엇을 보고 듣느냐에 따라 자연적이며 무의식적으로 나오는 것이며 이것은 집안의 풍수로 인해 작용하는 것이다.

현대 심리학에서는 잘 걸려 있는 그림 하나로 심리적인 안정을 찾을 수 있고 일정한 동기부여가 될 수 있으며 스트레스 해소와 정신질환 예방을 할 수 있다고 한다.

풍요로운 그림이 있으면 그 에너지로 인해 그 집안도 풍요롭게 안정된 생활하게 되며 불안정한 그림이 있다면 그 집안도 불안정한 일이 생기고 심리적으로 불안해지며 자연스럽게 불행한 일이 생길 수 있는 것은 그림으로 인한 현대 풍수학에서도 증명이 된 학문이나 자연적인 과학인 것이다.

즉 가정에 걸려 있는 그림에서 나오는 기운으로 그 가정에 행운이 들어올 수도 있고 불행이 들어올 수도 있다는 것이다.

자신의 목표를 문구로 적어 놓고 매번 그 문구를 보면서 꼭 목표를 이루겠다는 긍정적인 에너지가 생기고 자신 있는 기운을 발휘하듯이 제대로 걸려 있는 그림으로 그 가정에 좋은 기운이 작용할 수 있는 것이며 집 안에 걸어두면 좋지 않은 그림은 그림에서 나오는 불행한 기운과 좋지 않은 일이 생길 수도 있으며 가정을 피폐하게 만들 수 있는 것이다.

좋은 그림과 나쁜 그림은 어떻게 구분하는가?

좋은 그림은 사람에게 긍정적인 에너지를 주는 그림이 좋은 그림이며 단순히 내가 좋아하는 물건이나 사람 너무 특정 장면이 재미있어서 그것을 상징하는 이미지를 넣은 영화 포스터나 애니메이션 그림이 과연 긍정적인 에너지를 발휘하는 그림일까? 단순히 본인만의 흥미와 쾌감만으로 좋은 그림이 될 수 있을까?

특정 재벌 집에 걸려 있다는 리히텐슈타인의 '행복한 눈물'이라는 그림은 수 백억원에 호가한다고 한다던데 만약 그런 그림을 우리 집에 걸 수 있다면 재물의 기운이 넘쳐나지 않을까? 가격이 비싼 그림이 과연 풍수적으로 좋은 그림일까? 한번은 상상해볼 수 있지만 그런 고가의 그림이 걸려 있는 모습을 직접 보지 않는 이상은 상상하기 힘들다.

키가 작은 사람은 키가 크게 보이는 코디하는 것이 비싼 명품옷을 입는 것보다 자신감이 있는 기운이 살아날 수 있으며 비만이어서 콤플렉스인 사람도 명품 마크가 보이는 옷보다 날씬하게 보일 수 있는 코디해야 자신감이 살아날 수 있으며 긍정적인 에너지도 나올 수 있을 것이다.

영화관에서 영화를 볼 때 대형 스크린과 여기저기서 나오는 빵빵한 사운드가 마음에 든다고 해서 그런 장비는 20~30평대 아파트에 그 장비를 설치한다고 영화관에서 보던 대로 그 기능을 발휘할 수 있을까? 아니 없는 것만 못할 것이다.

그림 역시 우리 가족이나 나만 봐야 좋은 기운을 발휘하는 그림

좋은 그림과 나쁜 그림은 어떻게 구분하는가?

이 있고 전시회장이나 박물관에 걸어서 다양한 사람들의 기운이 부디 쳐야 기운이 상승하고 더 빛나는 그림이 따로 있는 것이다. 옷도 자신에게 어울리고 맞는 옷을 입어야 하듯이 그림 역시 똑같이 적용해서 걸어두어야 하며 노인만 사는 집은 건강한 기운과 장수하는 그림, 경제 활동을 하는 가정은 풍요로움을 상장하는 그림을 걸어야 더 효과가 있을 것이다.

이런 그림이나 사진은 가정집에 걸어두세요

재물이 들어오는 그림

재물 기운이 상승하는 대표적인 해바라기 그림이지만 한 송이만 집중된 느낌이며 이런 그림은 벽에 거는 것보다 작은 탁자용으로 놓아두는 것이 좋으며 잘 보이는 위치에 놓아야 재물의 기운을 발휘한다.

이런 그림이나 사진은 가정집에 걸어두세요

재물이 들어오는 그림

해바라기가 재물의 기운을 상징하는 이유는 노란색이 재물을 의
미하기 때문이다.

여러 송이의 해바라기가 돋보이는 느낌과 하늘은 맑은 배경은
가정의 평화와 안정감을 주고 생활의 활발함을 상징하며 가족의
건강한 기운까지 발휘하는 대표적인 그림이며 맑은 하늘이 보이
는 그림을 햇빛을 너무 받는 위치에 걸면 태양의 강한 기운으로
눌러버릴 수 있기에 좋은 기운이 상승하지 않을 수 있으며 햇빛
을 너무 받지 않고 그렇다고 너무 그늘진 위치도 아닌 적절한
위치에 걸어두어야 한다.

이런 그림이나 사진은 가정집에 걸어두세요

재물이 들어오는 그림

황금빛 배경의 나오는 그림이나 사진은 재물 기운이 매우 강하게 들어온다. 현관문 근처나 현관문을 열었을 때 그림이 바로 보여야 기운을 발휘하며 밤에도 스탠드 전등으로 그림을 밝게 유지하면 재물의 기운이 더 상승한다.

이런 그림이나 사진은 가정집에 걸어두세요

재물이 들어오는 그림

과일 그림이 재물을 상징한다?

과일은 대체 적으로 사람 몸에 좋은 것이 대부분이며 여러 가지 과일들의 조합과 양이 많고 풍성한 느낌을 주는 과일 그림이 재물 기운을 상징하며 과일은 싱싱한 느낌을 주어야 한다.

과일 종류가 많은 그림은 거실에 걸만한 큰 그림이 좋으며 유리 액자보다 유리 없는 액자가 더 좋다.

현관문 근처나 현관문을 열고 들어왔을 때 눈에 보이는 위치에 걸어두어야 기운을 발휘한다.

이런 그림이나 사진은 가정집에 걸어두세요

재물이 들어오는 그림

과일 그림은 최소 두 개 이상이 있는 그림이 좋다.

같은 과일의 그림은 과일이 한 개 보다는 최소 두 개 이상의 그림이 좋으며 전체적인 그림의 크기는 부담스럽지 않고 눈에 크게 띄지 않을 정도의 작은 액자가 좋으며 꼭 벽에 걸지 않더라도 탁상용 액자로 만들어 거실 TV 옆이나 소파 테이블에 올려 놓는 것이 좋다.

이런 그림이나 사진은 가정집에 걸어두세요

재물이 들어오는 그림

재물 기운을 상징하는 물

풍경화 사진이나 그림 중에 재물 기운을 부르는 것은 물이 꼭
보여야 한다.
물은 꼭 맑게 보여야 하며 많은 양의 물이 보이는 것은 매우 중
요하며 주변 분위기도 밝고 맑아야 재물과 건강 기운까지 상승
하지만 주변이 음침하거나 물 색깔이 맑지 않을 경우와 물의 양
이 적게 보이면 재물 기운이 오히려 약해질 수가 있다.

이런 그림이나 사진은 가정집에 걸어두세요

재물이 들어오는 그림

자연적인 소요가 많이 보이지 않고 맑고 많은 양의 물이 큰 비
중을 차지하는 그림이다.

다른 것보다 오로지 재물복만 들어오기를 바란다면 맑고 많은
물이 보이는 그림이나 사진을 구해서 걸어두는 것이 좋으며 작
은 그림보다 큰 그림이 좋고 나무 액자를 사용해야 한다.

현관문을 열고 들어올 때 복도가 있는 집은 복도에 걸어야 하며
거실이 보이는 집은 거실 벽에 걸어야 한다.

재물 운의 그림은 집에 들어오면 그림이 바로 보이는 위치에 걸
어두는 것이 매우 중요하다.

이런 그림이나 사진은 가정집에 걸어두세요

재물이 들어오는 그림

예술적인 분위기를 좋아한다면 이런 그림..

황금색이나 노란색은 재물의 기운을 상승하는 대표적인 색상이
며 위 그림처럼 단조롭고 심플 하며 고급스러운 느낌의 이미지
는 집안 분위기를 고풍스럽게 만들어 줄 수 있다.
집 내부 인테리어를 예술적으로 꾸미기 좋아하는 집은 이런 느
낌의 그림을 걸어두는 것이 좋으며 그림이 너무 커도 좋지 않고
너무 작지도 않은 보통 크기의 그림이 재물 운의 상승효과가 있
는 그림이다.

이런 그림이나 사진은 가정집에 걸어두세요

재물이 들어오는 그림

벽에 걸어두기 번거롭다면 탁상용 액자 사진

황금색이 강한 느낌을 주는 나뭇잎 모양은 작은 액자에 넣어도
재물 기운을 발휘하는 사진이다.

이런 그림이나 사진은 가정집에 걸어두세요

행운이 들어오는 그림

하나의 네잎클로버를 강조한 그림..

네잎클로버는 우리나라 사람들이 생각하는 가장 대표적인 행운
의 상징이며 네잎클로버를 찾으면 반드시 행운이 들어온다는 전
설적인 이야기를 지금 현대 시대도 그 말을 믿고 있을 정도이다.
네잎클로버를 찾지는 못해도 네잎클로버 그림이나 사진만으로도
행운을 에너지가 상승할 수 있으며 주변 분위기는 흐릿하더라도
위 그림처럼 하나의 네잎클로버를 강조한 그림이나 사진이 행운
을 더욱 상승시키는 효과가 있다.

이런 그림이나 사진은 가정집에 걸어두세요

행운이 들어오는 그림

네잎클로버는 하나로도 가치가 충분하기에 많은 네잎클로버가
보이는 그림은 오히려 행운의 기운을 충돌시키며 전체 이미지가
네잎클로버로 꽉 찬 느낌의 그림은 큰 그림보다 작은 탁상용으
로 놓아두는 것이 행운의 효력이 발생한다.

이런 그림이나 사진은 가정집에 걸어두세요

행운이 들어오는 그림

민들레 그림이나 사진은 긍정적인 에너지의 상승 효과가 있으며
부정성을 제거하도록 돕는 역할을 하며 작은 그림을 걸어두는
것이 좋고 햇빛을 잘 받는 위치가 좋다.

이런 그림이나 사진은 가정집에 걸어두세요

행운이 들어오는 그림

연애운을 상승시키고 싶다면 장미꽃으로

장미꽃 그림은 행운의 상징이기도 하지만 연애운을 상승시키는
에너지 효과가 있으며 오랫동안 솔로인 사람들이 외로울 때 장
미꽃 그림이나 사진을 걸어두는 것이 좋고 거실보다는 본인이
잠을 자는 방안에 걸어두는 것이 좋다.
한 송이의 장미보다 많은 장미꽃이 보이는 그림이 연애운의 에
너지를 더 발휘한다.

이런 그림이나 사진은 가정집에 걸어두세요

행운이 들어오는 그림

튤립은 봄에 걸어두어야 기운을 발휘하는 식물의 그림이다.

많은 튤립의 모습이 보이는 이미지가 행운을 에너지를 상승시키며 주변 분위기도 맑은 날의 느낌의 그림이나 사진이어야 한다. 햇빛을 적절히 받는 위치에 걸어두는 것이 좋으며 반대로 주변 배경이 검은색이거나 어두운 분위기의 그림이나 사진은 좋지 않다.

이런 그림이나 사진은 가정집에 걸어두세요

행운이 들어오는 그림

보는 것만으로도 행운이 들어온다는 금잔화

네잎클로버는 찾아야 행운이 들어온다지만 금잔화는 보는 것만으로도 행운이 들어온다.

금잔화를 직접 키우지는 못해도 그림이나 사진으로 통한 행운의 에너지로 기운을 받는 것도 좋으며 서양에서는 악령으로부터 보호해 준다고 믿는 꽃이 '금잔화'라고 한다.

히비스커스는 그 자체가 행운을 상징한다.

히비스커스라는 꽃은 생소할 수 있지만 행운을 가져다주는 꽃으
로 알려져 있으며 이 꽃은 직접 키우면 더 좋겠지만 그림으로도
행운의 에너지를 상승할 수 있는 대표적인 행운의 꽃이다.

이런 그림이나 사진은 가정집에 걸어두세요

행운이 들어오는 그림

행운을 상징하는 제비

누구나 한번은 들어 본 적 있는 행운을 상장하는 새가 제비이다.
제비의 시선이 노려보는 사진은 안되며 자연스러운 모습이 좋고
사진의 시선이 확 보이지 않을 정도로 작은 사진을 걸어두는 것
이 좋다.

이런 그림이나 사진은 가정집에 걸어두세요

가정이 번영하는 그림

이런 그림이나 사진은 가정집에 걸어두세요

가정이 번영하는 그림

소나무 그림은 장수의 의미도 있지만 튼튼한 느낌의 소나무는
가정을 튼튼하게 만들고 번영하는 의미도 포함된다.

번영을 상징하는 그림은 집 안쪽에 걸어두면 안 되며 현관문이
랑 가장 가까운 곳이나 현관에서 거실로 이어주는 복도에 걸어
두는 것이 번영 운의 효력이 발생한다.

이런 그림이나 사진은 가정집에 걸어두세요

가정이 번영하는 그림

나무가 보이고 길이 보이는 그림은 탄탄대로 막힘없이 전진하자
는 의미이며 가정집에 걸어두면 번영 기운이 상승하는 그림이다.
특히 이제 막 가정을 꾸린 신혼부부나 가장의 새 직장에 취업했
거나 새로운 사업이나 창업을 시작한 경우. 자녀가 3명 이상 있
는 가정에 걸어두면 에너지의 효력이 있는 그림이다.

이런 그림이나 사진은 가정집에 걸어두세요

가정이 번영하는 그림

언덕의 길이나 자동차 도로가 보이는 그림도 번영을 상징하는
그림이다.

사람 얼굴 크기 정도의 작은 그림이 좋으며 현관 근처나 현관에
서 거실로 이어지는 복도에 걸어두어야 하며 거실이나 방. 집 안
쪽에 걸어두면 번영의 기운이 상승하지 않으니 주의해야 한다.

이런 그림이나 사진은 가정집에 걸어두세요

성공과 명예운이 상승하는 그림

사람은 명예가 상승하면 직위가 높은 곳에 올라가듯이 높은 빌
딩이 보이는 사진의 이미지가 명예의 에너지가 생성되는 것이다.

이런 그림이나 사진은 가정집에 걸어두세요

성공과 명예운이 상승하는 그림

높은 빌딩이 있는 그림은 가족 중에 성공과 명예가 상승하는 에너지가 흐른다.

높고 화려하며 멋진 빌딩이 있는 그림은 성공과 명예의 기운이 들어오며 집안의 가장이 직장에서 명예가 올라가거나 직위가 올라가는 기운의 효과가 있으며 자녀가 있는 집은 자녀의 출세 운도 있다.

명예운을 상승하는 그림은 현관이나 복도. 거실에 걸어두면 안되며 작업하는 방이나 서재, 자녀 공부방 등에 걸어두는 것이 에너지의 효력이 상승한다.

이런 그림이나 사진은 가정집에 걸어두세요

성공과 명예운이 상승하는 그림

빌딩의 모습이 뚜렷한 모습이 아닌 단순한 만화 그림 같은 이모티콘 모양의 빌딩의 그림은 작은 그림을 걸어두는 것이 좋으며 자녀가 어리다면 자녀 방에 걸어두는 것이 좋다.

이런 그림이나 사진은 가정집에 걸어두세요

성공과 명예운이 상승하는 그림

가늘고 길게 쭉쭉 뻗은 대나무 그림은 명예운의 상징이다.

대나무가 많이 보일수록 좋은 그림이며 대나무 주변이 어둠침침
한 분위기는 좋지 않으며 대나무가 죽어 있는 느낌도 아닌 튼튼
한 느낌의 그림이어야 하며 그림의 위치는 거실이나 햇빛을 적
절하게 받는 위치가 좋다.

이런 그림이나 사진은 가정집에 걸어두세요

건강 운이 좋아지는 그림

이런 그림이나 사진은 가정집에 걸어두세요
건강 운이 좋아지는 그림

옛날 우리 조상 때부터 학 그림은 건강하게 장수한다는 의미로
고령이 되어도 질병을 예방해 준다고 믿어 왔다.
풍수학에서도 증명된 그림이며 노부부나 독거노인이 사시는 집
에 선물용으로도 매우 적합하며 현관이나 거실보다는 안방이나
현관이랑 거리가 떨어진 안쪽에 걸어두는 것이 좋다.

이런 그림이나 사진은 가정집에 걸어두세요

건강 운이 좋아지는 그림

건강 운의 대표적인 그림 산수화

자연의 풍경을 그린 그림. 산과 나무 강 등 자연경관을 소재로
그린 동양화이며 그림의 에너지에서 나오는 '만병통치약'이다 라
는 말이 있을 정도로 건강의 기운이 들어오는 그림이다.

이런 그림이나 사진은 가정집에 걸어두세요

건강 운이 좋아지는 그림

건강한 기운을 살리고 장수한다는 산수화 그림

이런 그림이나 사진은 가정집에 걸어두세요

건강 운이 좋아지는 그림

장수와 건강을 상징하는 부채 그림

요즘에는 잘 사용하지 않는 용품이지만 부채의 그림은 장수와 건강을 의미한다.

부채의 디자인은 아무 모양이 없는 부채는 좋지 않으며 자연적 풍경 그림이나 꽃, 식물, 나무가 그려진 한 부채의 그림 이여야 장수와 건강의 기운이 상승한다.

그림의 위치는 거실이나 현관은 피하고 안방이나 침실이 적합하다.

이런 그림이나 사진은 가정집에 걸어두세요

건강 운이 좋아지는 그림

국화는 고인에게 주는 꽃으로 좋지 않은 꽃이라 생각할 수 있으
나 국화 그림은 의외로 건강 기운이 상승하는 그림이며 큰 그림
보다 작은 탁상용 그림 액자로 놓아야 좋으며 서재나 가장이 사
용하는 방에 놓는 것이 좋고 자녀 방에 있으면 안 된다.

과일 그림 중에서 건강 기운을 의미하는 그림은 복숭아 그림이
며 햇빛이 적절하게 받는 거실에 걸어두는 것이 좋다.
유리 액자보다는 유리 없는 액자로 만들어진 그림이 좋으며 복
숭아가 크고 싱싱한 느낌을 주어야 한다.

이런 그림이나 사진은 가정집에 걸어두세요

건강 운이 좋아지는 그림

곤충 그림 중 나비 그림은 건강과 장수를 상징하는 의미이다.
색깔은 반드시 밝은색 계통이나 하얀색의 나비이어야 하고 날아
다니는 듯한 자연스러운 모습이어야 한다.
검은색이거나 어두운색의 나비의 그림은 절대 안 된다.

이런 그림이나 사진은 가정에 있으면 안 돼요

집안 자체가 망하는 그림

그림은 관상이라는 말이 있다.

좋지 않은 관상은 인생이 망하듯이

좋지 않은 그림을 가정에 걸면 그 집도 망한다.

이런 그림이나 사진은 가정에 있으면 안 돼요

집안 자체가 망하는 그림

폐허가 된 건물 사진을 걸어두면 그 집도 이렇게 된다.

폐허가 된 집이나 건물 사진은 그 집도 망하는 에너지가 생성되며 폐가나 폐건물을 그냥 보는 건 큰 상관은 없지만 이런 사진이나 그림이 집에 걸어두면 큰일 난다.

폐건물을 체험하고 사진을 보는 것이 취미라면 거기까지 만족하고 굳이 사진을 집 안에 걸어두지 말자.

이런 그림이나 사진은 가정에 있으면 안 돼요
집안 자체가 망하는 그림

폐허가 된 사진은 절대 가정에 걸어두면 안 된다.

이런 그림이나 사진은 가정에 있으면 안 돼요
집안 자체가 망하는 그림

집 일부만 보이는 그림은 집안의 재앙과 몰락을 상징한다.

집 일부만 보이는 그림과 사진은 집안의 재앙 몰락을 상징하는
그림이며 가정에 걸어두는 것은 물론 가게나 사업장에 걸어두어
도 안 되며 그냥 소지하고 있어도 안 되는 최악의 그림이자 사
진이다.

이런 그림이나 사진은 가정에 있으면 안 돼요

가정이 가난해지는 그림

이런 그림이나 사진은 가정에 있으면 안 돼요

가정이 가난해지는 그림

그림 풍수학에서는 기본적으로 그림에 생기가 돌아야 한다고 하며 풍경화도 밝아야 하고 물이 보이는 그림도 저 물이 실제 물이라면 그냥 마셔도 되겠다. 정도로 물이 깨끗해야 하며 과일 그림도 저 과일이 실제 과일이라면 먹고 싶다고 느낄 정도로 싱싱해 보이는 그림이 생기가 들어오는 그림이다.

그래야 집안에 생기가 들어오고 풍성함이 들어오며 풍성함도 역시 집안의 번영과 가정의 화목한 기운만이 아니라 재물 기운까지 상징하는 것이다.

반대로 가정이 가난해지는 그림은 무언가가 초라하며 힘이 없고 쓸쓸한 느낌을 주는 그림은 가정에 가난함을 상징하는 그림이다. 집이 보이는 그림도 저 집은 매우 가난하고 힘들게 살 거 같은 초라해 보이는 집이나 나무 그림도 주변에 자연적인 소요가 없고 나무 한 그루만 혼자 쓸쓸하게 있는 그림 역시 그 집안을 쓸쓸한 기운이 들어와 단순히 외로움의 상징이 아닌 재물의 기운까지 쓸쓸하게 만드는 것이다.

대표적으로 가난하게 만드는 그림은 분위기가 어둡고 음침하거나 무언가가 죽어 있는듯한 느낌을 주는 그림과 특정 물건이 있는 그림 중 그 주변은 아무것도 없는 허와 벌판에 혼자 쓸쓸하게 있는듯한 그림이 그 집안을 가난한 기운을 만드는 그림이다.

이런 그림이나 사진은 가정에 있으면 안 돼요

가정이 가난해지는 그림

가정이 가난해지는 대표적인 사진

이런 그림이나 사진은 가정에 있으면 안 돼요

가정이 가난해지는 그림

가정이 가난해지는 대표적인 사진

이런 그림이나 사진은 가정에 있으면 안 돼요

가정이 가난해지는 그림

가정이 가난해지는 대표적인 사진

이런 그림이나 사진은 가정에 있으면 안 돼요

가족의 갈등을 유발하는 그림

결투를 상징하는 그림

어린 자녀를 둔 가정에는 결투를 상징하는 만화나 영화 장면의 그림이 걸려 있는 경우가 많은데 어린 자녀는 좋아하겠지만 가정의 화목한 기운은 상승하지 않는다.

이런 그림이나 사진은 가정에 있으면 안 돼요
가족의 갈등을 유발하는 그림

배경이 어두운 그림은 가족의 대화 단절을 유발한다.

결투를 상징하고 만화나 영화의 장면도 아닌 알 수 없는 인물이며 말 타고 있는 그림자의 모습과 배경이 어둠침침한 그림은 가족의 대화 단절과 불화 갈등까지 유발될 수 있는 흉한 기운의 그림이며 물론 어린 자녀는 이런 그림을 좋아할 수도 있지만 만약 꼭 이런 그림을 걸어둔다면 마치 집에 없는 듯 눈에 거의 안보이는 곳에 걸어두어야 한다.

이런 그림이나 사진은 가정에 있으면 안 돼요

가족의 갈등을 유발하는 그림

충돌이 있는듯한 느낌의 그림

물리적인 결투가 이루어지는 듯한 그림이며 그림의 기운도 대조
적인 느낌을 주며 자세히 보면 주먹으로 보이기도 하며 자연스
럽지 못한 느낌은 분명하다.

마치 불과 물이 고의적이며 예상된 충돌을 상징하는 느낌을 강
하게 주며 가정에 걸어두기에는 전혀 적합하지 않은 그림이다.

이런 그림이나 사진은 가정에 있으면 안 돼요
가족의 갈등을 유발하는 그림

초상화 그림이 가족관에 갈등을 유발할 수 있다?

초상화 그림을 가정에 걸어 놓는 경우는 확실히 알고 넘어가야
할 부분이 있다.
첫 번째는 자신이 롤 모델로 삼고 싶은 위인이나 유명인의 그림
은 걸어도 나쁘지는 않으며 현재 살아있는 사람이든 현재 실존
하지 않는 위인 그림이나 사진도 나쁘지는 않다.
하지만 그런 그림은 너무 눈에 띄지 않는 작은 그림이 좋으며
나만 볼 수 있는 방 안에 걸어두거나 서재나 공부방 책상 위에
탁상용 놓는 것이 더 좋다.

두 번째는 고인이 된 가족의 사진이나 그림이다.
단도직입적으로 말하면 고인의 사진을 벽에 걸어두는 것은 풍수
적으로 좋지 않다. 만약 고인이 된 부모님의 사진을 벽에 꼭 걸
어두고 싶다면 꼭 참고해야 할 것이 있다.

고인의 사진을 걸어두어야 한다면 마치 영정사진을 연상케 하는
어둠침침한 배경의 사진보다는 밝은 배경으로 합성하거나 만화
캐릭터 같은 이미지로 그린 그림을 가족들이 잘 들어오지 않는
방에 걸어두는 것이 좋은 편이다.

이런 그림이나 사진은 가정에 있으면 안 돼요
가족의 갈등을 유발하는 그림

그림의 위치가 중요한 것은 특정 기운을 들어오게 하는 것이 아니라 고인이 된 나의 부모님의 그림을 보는 건 나만 괜찮을 뿐 배우자나 다른 가족은 그렇게 생각 안 할 수 있기에 알 수 없는 묘한 갈등을 유발할 수 있다는 것이며 가족관에 갈등은 의외로 굉장히 사소한 것에서 점점 쌓이는 것이다.

가상의 인물이나 알지 못하는 사람의 그림은 절대 안 된다

초상화 그림 중 그 그림이 미술계에서 인정받은 명화라고 할지라도 가상의 인물이나 알지 못하는 사람의 그림은 가정에 걸어두면 안 되는 그림이다.
만약 고가의 가격으로 그림을 구매했다면 가정집보다 본인이 일하는 작업장이나 사무실에 걸어두는 것이 차라리 좋은 편이다.
그런 그림은 가급적 전시회나 미술관에서 보는 것으로 만족해야 하며 명화는 대중들이 다 보는 곳에서 감상해야 한다.
명화라고 무조건 좋은 것이 아니라 사람들이 찾는 전시회 같은 장소에 걸어두면 좋은 그림. 개인이 거주하는 가정집에 걸어야 좋은 그림은 따로 있는 것이다.

이런 그림이나 사진은 가정에 있으면 안 돼요
가족의 갈등을 유발하는 그림

가상의 인물이거나 알지 못한 사람의 초상화는 가정에 걸어두면
안 되는 그림이다.

이런 그림이나 사진은 가정에 있으면 안 돼요

가정이 불안해지는 그림

이런 그림이나 사진은 가정에 있으면 안 돼요
가정이 불안해지는 그림

불안한 느낌이 드는 그림은 그 느낌대로 기운이 들어온다.

가정이 불안해진다고 느껴지는 일은 어느 가정에나 있는 일이지만 불안한 기운을 최소화하여 불안보다는 행복의 기운이 상승하기를 바라는 마음은 누구나 똑같을 것이다.

돈이 많은 부잣집도 불안한 일이 안 생길 수가 없으며 성공, 명예, 재물 등 그저 남 부러움이 없는 가정처럼 보여도 불안한 마음은 생기는 것이다.

돈이 많아도 돈을 잘 지킬 수 있을까? 내 돈을 탐내고 노리는 사람이 있지 않을까? 하는 불안, 돈이 없는 집안은 앞으로 돈을 못 벌면 어떻게 살지? 뭐 해 먹고 살지? 하는 불안 성공하고 명예가 상승한 사람도 혹시 내가 실수해서 쌓아 올린 공든 탑이 무너지면 어쩌지? 하는 불안 성공한 사람이든 실패한 사람이든 늘 불안한 마음은 가지고 있다.

늘 불안한 마음이 항상 가득하면 행복의 기운은 사라지는 것이며 정신적인 문제와 풍족한 삶을 살아도 삶의 낙이 사라지며 불안한 마음이 사라지지 않으면 불행한 기운까지 들어올 수 있기에 가정 내에 별생각 없이 걸어진 그림이 불안한 기운이 들어오는 그림이 걸려 있지 않은지 확인할 필요가 있는 것이다.

이런 그림이나 사진은 가정에 있으면 안 돼요
가정이 불안해지는 그림

선물로 받은 그림이나 집안의 허전함을 채우기 위해 구매한 그림이 이런 느낌의 그림이 있지 않는지 확인하자.

이 그림이 미술계에서 작품성을 인정받은 명화인지는 모르겠지만 자연스러운 느낌이 부족하고 무언가 모르게 불안한 마음이 드는 그림이다.
풍경화는 풍경화인데 분위기가 혼란스러운 느낌이 강하며 풍경화 그림은 맑고 자연스러운 요소가 풍부해야 집안에 생기가 들어오는데 저 그림은 풍부하거나 생기의 기운을 들지 않고 불안정한 느낌이 강하기에 가정에 걸어두면 좋지 않은 그림이다.

이런 그림이나 사진은 가정에 있으면 안 돼요

가정이 불안해지는 그림

배를 타고 있는 사람들이 배가 가라앉는 듯. 목숨이 위태해지는
상황. 불안감이 상승하는 그림이다.

이런 그림이나 사진은 가정에 있으면 안 돼요
가정이 불안해지는 그림

이미지가 고급스러우면서도 심플 하다는 느낌. 좋은 그림이라 생
각할 수 있지만. 아슬아슬하게 세워져 있는 것을 살짝 만 건드려
도 무너질 거 같은 느낌을 준다.

전시회나 학교, 특정 기간에 걸어두는 것은 상관없지만 가정집에
걸어두면 좋지 않은 그림이다.

이런 그림이나 사진은 가정에 있으면 안 돼요
가정이 불안해지는 그림

미술을 전공했거나 그림을 볼 줄 아는 사람은 작품성 있는 '명화'라고 인정할 수 있겠지만 일반적으로 보았을 때 낙서인지 그림인지 불분명하고 무언가 혼란스러운 느낌을 주는 것은 분명하다. 우리는 미술계에 종사하는 작품성을 평가하는 것이 아니라 지극히 일반적인 시각에서 봐야 하고 느껴지는 것 그대로 봐야 한다.

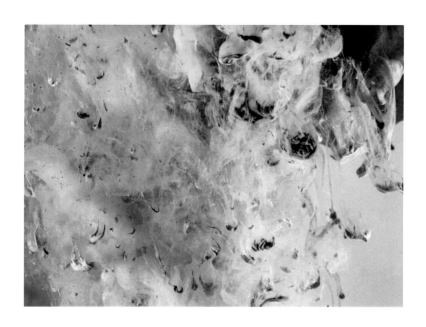

이런 그림이나 사진은 가정에 있으면 안 돼요
가정이 불안해지는 그림

종교를 상징하는 그림도 아닌 것 같고 영화주인공의 그림도 아닌 것 같은 흔히 우리가 모르는 사이비 종교를 상징하는 느낌의 들 법도 한 그림이며 이런 불분명한 그림도 가정의 불안한 기운이 들어오는 그림이다.

이런 그림이나 사진은 가정에 있으면 안 돼요
건강이 나빠지는 그림

기괴한 느낌이 드는 그림이나 사진

누군지도 모르는 인물의 그림이나 사진도 좋지 않은데 밑에 사진처럼 웃은 모습도 아닌 알 수 없는 기괴하게 표정을 짓고 있는 모습은 정신 분열이나 정신착란증 같은 증세가 올 수 있는 정신건강에 문제가 생길 수 있으며 가족들이 상식적으로 이해할 수 없는 무의식적인 말과 행동을 하게 된다.

이런 그림이나 사진은 가정에 있으면 안 돼요

건강이 나빠지는 그림

피를 연상케 하는 그림

그림이 붉은색이라 해서 다 좋지 않은 그림은 아니지만 피를 연상하게 하는 그림은 좋지 않은 그림이며 '풍수 인테리어'에 칼이나 공구 용품 등 날카로운 것이 보이면 흉한 기가 들어와 건강기운이 좋지 못한 것과 같은 이치라고 볼 수 있다.

단조로운 느낌의 동양화 같은 느낌을 주는 그림이고 미술계에서
는 수준 높은 예술 작품이라고 인정한 그림일 수도 있다.
하지만 그림의 색채가 흐물흐물하며 멍한 느낌을 주며 정신이
멍해지면서 우울증을 유발할 수 있고 생기의 기운이 전혀 없는
그런 느낌의 그림이다.

이런 그림이나 사진은 가정에 있으면 안 돼요
건강이 나빠지는 그림

실제의 색과 반대되는 색의 그림

밑에 사과 그림을 예로 들어 사과는 붉은색이어야 싱싱한 느낌
이 들고 먹음직스럽게 느껴지지만 밑에 그림은 어두운 배경에
반대되는 색깔을 하고 있다.
작품성으로는 인정받을지 몰라도 가정집에는 건강 기운과 반대
의 기운이 들어오는 그림이며 꽃 그림도 마찬가지로 장미꽃의
그림도 붉은색이 아닌 검은색 장미꽃은 전혀 기운을 발휘하지
못하는 것이다.

좋은 그림은 걸어두는 위치도 중요해요

현관에 걸어두어야 좋은 그림

좋은 그림은 걸어두는 위치도 중요해요
현관에 걸어두어야 좋은 그림

현관은 집안에 기운이 가장 먼저 들어오는 가장 중요한 공간이며 그 기운에 따라 사람의 행동 습관 말투가 무의식적으로 나온다고 한다.
만약 좋지 않은 기운이 집안에 들어온다면 그 집안의 가족들은 행동과 습관 말투가 부정적으로 점점 변할 것이며 그 부정적인 행동이 가정과 가족들에게 불행한 일이 생길 수 있는 자연적인 과학이자 법칙이다.

현관에 들어올 때 보이는 그림이나 사진도 마찬가지다.
현관에서 나가고 들어올 때 자연스럽게 보이는 그림으로 인해 부정적인 영향을 미치면 집 내부 풍수를 아무리 좋게 하더라도 무용지물이 될 수 있기에 현관에 걸어두는 그림도 매우 중요하다고 할 수 있다.

현관에 어떤 그림이 있느냐에 따라 번영과 불행이 갈란다.

단순히 그림을 선물 받았다는 이유로 벽 공간이 너무 허전해서 그림을 걸어두는 경우가 일반적인데 특히 현관 근처의 그림이라면 어떤 기운을 부르는 그림인지 신경을 써야 한다.

어떤 그림이 좋은 그림인지 판단하기 어렵다면 그림이 없는 것이 좋다.

현관 근처의 그림은 분명 그 집안에 기운의 영향을 받는다.
하지만 현관 근처에 어떤 그림이 좋은 그림인지 모른다면 차라리 그림이 없는 것이 좋다.
풍수 인테리어도 특정 물건을 잘못 배치해서 그 집안에 안 좋은 영향이 있을 수 있다면 차라리 그 물건이 없는 것이 좋은 풍수 인테리어다. 라고 말을 하듯이 차라리 없는게 낳다. 없는 것만 못하다. 라는 말을 흔하게 쓰는 이유도 그러하다.

현관에 걸어두면 좋은 그림은 어떤 그림인가?

집안에 기운이 먼저 들어오는 곳이 현관이기 때문에 번영의 기운, 재물의 기운, 화목의 기운이 상승하는 그림이 현관에 걸어두기 가장 좋은 그림이다.

좋은 그림은 걸어두는 위치도 중요해요
현관에 걸어두어야 좋은 그림

현관 근처에 그림을 걸어두는 위치

현관문 근처에 그림을 걸어두어야 하는 위치는 집안에서 현관문
을 정면으로 바라보고 왼쪽의 위치가 가장 좋은 위치이다.
현관문 앞에 복도로 이어진다면 왼쪽 측면이며 복도가 없다면
현관문 바로 왼쪽에 걸어두어야 하며 심리학자들은 집에서 밖을
나갈 때는 왼쪽. 밖에서 집 안을 들어올 때는 오른쪽이 자연스러
우면서도 무의식적인 시선의 방향이라고 한다.

좋은 그림은 걸어두는 위치도 중요해요

현관에 걸어두어야 좋은 그림

1. 재물의 기운을 상징하는 그림과 사진

좋은 그림은 걸어두는 위치도 중요해요

현관에 걸어두어야 좋은 그림

2. 번영의 기운이 상승하는 그림과 사진

좋은 그림은 걸어두는 위치도 중요해요

거실에 걸어두어야 좋은 그림

좋은 그림은 걸어두는 위치도 중요해요

거실에 걸어두어야 좋은 그림

거실의 그림은 어디에 걸어두는 것이 좋은가?

거실은 가족들이 많이 머물며 자주 다니고 거실 주변의 사물들
이 눈에 가장 잘 보이는 공간이 거실이며 가족관에 대화나 TV
나 영화를 시청하며 휴식을 취하는 공간이기도 하다.

수면을 하거나 식사 및 공부 기타 작업을 하는 외에는 보통은
거실에 머무는 시간이 많으며 집안에서 가장 넓은 공간의 거실
에 거는 그림은 재물의 기운과 행운 화목의 기운이 들어오는 그
림이 가장 적합하며 그림의 크기는 벽 전체의 공간을 차지할 만
큼 아주 큰 그림은 안되며 그렇다고 너무 작은 그림도 좋지 않
다.

그림의 위치는 현관에서 거실로 들어왔을 때 보이는 위치가 좋
으며 보통은 집 구조상 TV가 있는 위치이며 TV 위쪽이나 TV
옆의 위치가 가장 좋은 위치이다.

그림의 높이는 가장의 키를 기준으로 하는 것이 가장 좋으며 가
장의 키에서 30도 정도 높은 위치가 가장 적합한 위치이다.

좋은 그림은 걸어두는 위치도 중요해요

거실에 걸어두어야 좋은 그림

좋은 그림은 걸어두는 위치도 중요해요

거실에 걸어두어야 좋은 그림

벽 전체의 공간을 차지할 만큼 큰 그림은 좋지 않다.

벽면을 거의 차지할 정도로 그림이 크다면 음과 양의 기운의 조화가 충돌되기 때문에 좋은 기운이 상승하지 않으며 부담스럽지 않을 정도의 보통 크기가 가장 좋다.

좋은 그림은 걸어두는 위치도 중요해요

거실에 걸어두어야 좋은 그림

가장의 키 기준으로 30도 정도 높은 위치가 가장 좋은 위치

가정의 키 기준으로 시선을 30도 정도 올렸을 때 그림이 보이는
위치가 좋은 기운이 상승하는 가장 좋은 위치이다.

좋은 그림은 걸어두는 위치도 중요해요

거실에 걸어두어야 좋은 그림

거실에 걸어두어야 기운이 상승하는 그림은 재물, 행운, 화목을
상징하는 그림이다.

좋은 그림은 걸어두는 위치도 중요해요

복도에 걸어두어야 좋은 그림

좋은 그림은 걸어두는 위치도 중요해요

복도에 걸어두어야 좋은 그림

현관에서 거실로 이어주는 공간의 복도

현관에서 복도로 이어주는 복도는 집안의 기운이 먼저 들어오는 현관 다음으로 기운이 들어오는 공간이기에 가정의 번영 운과 재물 운 그리고 현관 입구랑 다른 것이 있다면 행운의 운까지 들어오는 공간이다.

집안의 복도 그 애매한 경계

통계상으로 집 평수가 25평~40평대에 거주하는 가정이 가장 많다고 하며 이 평균 평수에 집의 구조에 따라 복도가 있는 집과 복도가 없는 집도 있으며 여기가 복도인데 애매하게 설계된 집도 있다.
집이 큰 단독 저택 이거나 평수가 아주 넓은 아파트나 빌라, 오피스텔이 아닌 이상은 복도가 애매하게 있거나 복도가 없는 집이 대부분이긴 하며 복도에 걸어두면 좋은 행운의 기운이 들어오는 그림은 현관 보다는 거실 위치에 걸어두는 것이 맞는 법이다.

복도에도 어디에 그림을 걸어두냐에 따라 기운 상승이 다르다.

복도는 정면으로 걸어두는 것이 좋은 것이 있고 측면에 걸어두는 것이 더 좋은 그림이 있다.

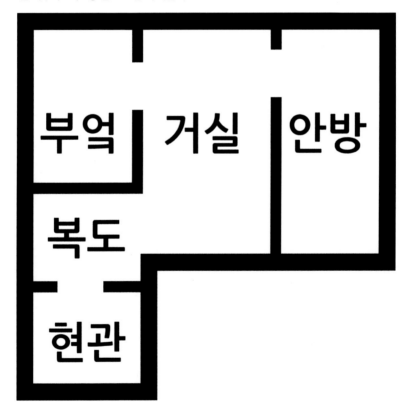

좋은 그림은 걸어두는 위치도 중요해요

복도에 걸어두어야 좋은 그림

1. 번영의 기운이 들어오는 그림

현관에서 들어오면 정면에 보이는 위치나 측면의 위치 두 가지
다 좋은 그림이 바로 번영의 기운이 들어오는 그림이다.

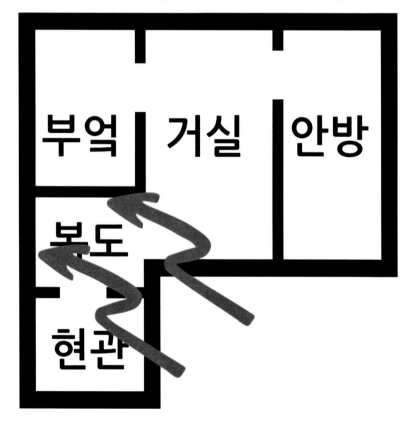

2. 행운이 들어오는 그림

행운은 정면으로 들어오는 것이 아니라 예상치 못한 상황에 찾
아오는 것이 행운이라 정면보다는 측면의 위치에 그림을 걸어두
는 것이 행운의 기운이 상승하는 그림의 위치이다.

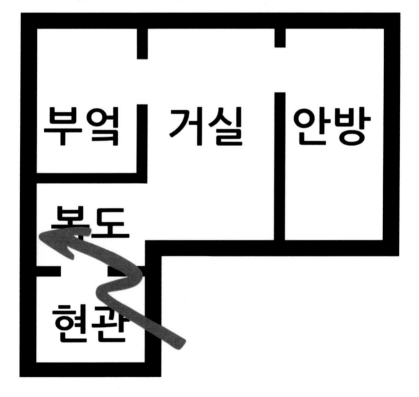

좋은 그림은 걸어두는 위치도 중요해요

복도에 걸어두어야 좋은 그림

3. 재물이 들어오는 그림

현실적으로 재물은 우리 일상에서 가장 중요한 것이기에 재물
운이 상승하는 것은 현관문을 열고 들어오면 정면으로 보이는
위치에 걸어두어야 한다.

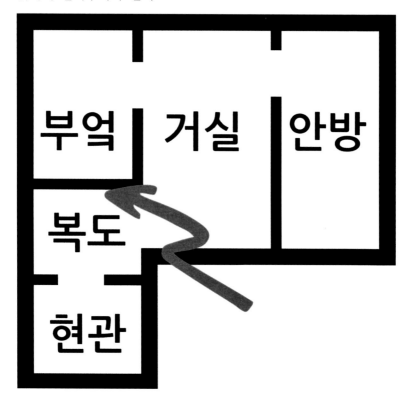

좋은 그림은 걸어두는 위치도 중요해요

부엌에 걸어두어야 좋은 그림

좋은 그림은 걸어두는 위치도 중요해요
부엌에 걸어두어야 좋은 그림

부엌은 그림을 걸면 좋지 않다?

부엌은 주방과 같이 있는 공간으로 물이 흐르기에 화장실이나 욕실같이 음기의 기운이 흐르는 공간으로 분류되기 때문에 그림을 걸어두는 것은 좋지 않다.

음기의 기운이 흐르는 공간은 왜 그림을 걸어두면 안 좋은 것인가?

주방 옆에 테이블이 있는 식당도 그림이나 사진을 걸어두는 곳이 많고 공중화장실에도 그림을 걸어두는 곳도 있는데 왜 가정집은 안 좋은 것인가?

불특정 다수가 이용하는 다중이용업소와 가정집과는 다른 것이며 많은 사람이 방문하는 전시회장에 걸어두면 좋은 그림과 가정집에 걸어두면 좋은 그림이 따로 있는 것과 같이 이치라고 볼 수 있다.

식당에는 식당 분위기에 맞는 그림이든 아니든 어떤 그림이 걸려도 인테리어를 꾸미는 것은. 식당 주인의 마음이지만 식당처럼 개인 소유가 아닌 많은 사람이 이용하는 공중화장실의 경우는 화장실 내에 그림이 걸려 있는 경우는 그리 많지 않으며 만약 그림이 걸려 있다고 하더라도 그림이 있는 듯 마는듯한 시선을 강하게 받지 않는 작은 액자의 그림이나 문구가 있는 정도다.

좋은 그림은 걸어두는 위치도 중요해요
부엌에 걸어두어야 좋은 그림

이렇듯 음기의 기운이 작용하는 곳에서 시선을 강하게 받거나 큰 그림을 걸어두는 그림은 풍수학적으로도 좋지 않다는 것이 적용되는 것이며 대중 이용 시설의 특성상 누가 봐도 좋은 문구나 그림이 있는 듯 마는듯한 작은 그림. 도덕성을 강조하는 공익 목적의 포스터 같은 그림만 있는 것이다.

부엌이나 주방에 그림을 걸어둔다면?

부엌에는 주방에 그림은 가급적 없는 것이 좋지만 만약 허전하게 보이지 않게 인테리어로 그림을 걸어둔다면 그림이 있는 듯 없는 듯한 매우 작은 그림이 가장 적합하며 성인의 손바닥 크기 이하의 매우 작은 그림을 걸어두거나 자연스럽게 보이는 탁상용 액자를 놓는 것이 가장 적합하다.

부엌이나 주방은 어떤 그림이 좋을까?

시선을 길게 머무르지 않을만한 매우 단조롭게 자연적인 그림이 가장 좋은 그림이며 타인이 집을 방문 했을 때 주방에 있는 그림이나 사진을 보고 어 저건 무슨 그림이지? 하며 시선을 집중하게 만드는 그림은 적합하지 않다.

좋은 그림은 걸어두는 위치도 중요해요

부엌에 걸어두어야 좋은 그림

부엌이나 주방의 그림은 특정 기운이 상승하는 그림을 걸어두는 것이 적합하지 않으며 붓으로 두 번 칠하고 그림을 완성했을 법 한 단조롭고 단순만 이미지의 그림이거나 과일, 꽃, 식물, 나무, 등 그림이 가정 접합한 그림이라고 볼 수 있다.

좋은 그림은 걸어두는 위치도 중요해요

부엌에 걸어두어야 좋은 그림

주방의 근처라면 자연스럽고 크기가 부담되지 않는 액자

좋은 그림은 걸어두는 위치도 중요해요

부엌에 걸어두어야 좋은 그림

액자의 크기를 예로 든 것이며 식탁 근처에 걸어두는 것이 가장
적합하다. 그림의 이미지는 단조로워야 한다.

좋은 그림은 걸어두는 위치도 중요해요

방 안에 걸어두어야 좋은 그림

좋은 그림은 걸어두는 위치도 중요해요
방 안에 걸어두어야 좋은 그림

방 안의 그림은 성공, 명예, 건강, 화목한 기운이 상승하는 그림을 걸어두어야 한다.

부부가 사용하는 침실과 학생이 사용하는 공부방 책을 읽는 서재 등 누가 어떤 용도로 사용하는지에 따라 그 기운이 다르게 적용되며 물론 기운 상승의 효력에 맞게 그림이 잘 걸려 있어야 한다.

신혼부부가 사용하는 침실에 결혼사진을 걸어두는 것과 자녀가 있는 가정은 온 가족과 함께 찍은 사진을 걸어두는 것은 화목한 기운 상승에 도움이 되며 결혼사진은 타인이 방안에 들어왔을 때 시선을 강하게 받는 큰 사진을 걸어두는 것도 나쁘지 않다.

하지만 온 가족이 다 함께 찍은 사진은 시선이 강하게 받지 않는 작은 액자나 탁상용 액자로 두는 것이 좋다.

학생 신분의 자녀나 수험생, 취업을 준비하거나 사회초년생이라면 성공과 명예운이 상승하는 그림을 걸어 놓거나 학습에 집중해야 하는 자녀는 꼭 그림이 아니더라도 좋은 문구나 명언이 적혀있는 글씨 액자도 자연스럽게 학습 집중시키며 책상에 앉았을 때 고개를 위로 올리면 보이는 위치가 가장 적합한 위치다.

좋은 그림은 걸어두는 위치도 중요해요

방 안에 걸어두어야 좋은 그림

중년이나 노년층이 사용하는 방은 건강과 장수를 상장하는 그림을 걸어두는 것이 좋으며. 산수화, 학, 하얀색 나비, 복숭아, 소나무 등이 건강과 장수를 의미하는 그림이며 그림의 위치는 잠을 자고 일어났을 때 그림이 보이는 위치가 기운 상승에 가장 좋은 위치다.

좋은 그림은 걸어두는 위치도 중요해요

방 안에 걸어두어야 좋은 그림

성공과 명예 기운은 책상 위치와 건강과 장수는 침대에 수면하는 위치이며 화목한 기운의 사진은 위치가 크게 상관은 없다.

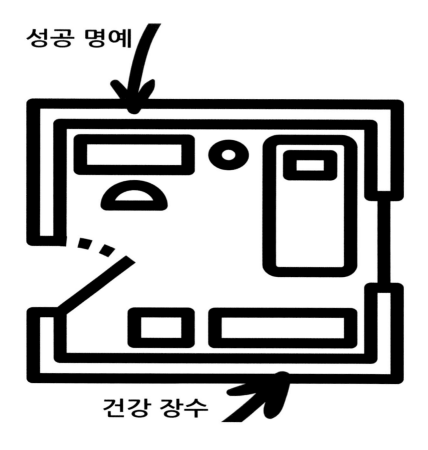

자녀 방의 그림은 자녀의 미래가 달렸어요

학습에 집중하기 좋은 그림

자녀 방의 그림은 자녀의 미래가 달렸어요

학습에 집중하기 좋은 그림

시선이나 느낌을 강하게 받지 않는 그림

자녀가 학생이라면 공부를 잘하기를 바라든 아니든 기본적으로 학습하기 좋은 방 분위기가 매우 중요하며 꼭 학교 성적보다는 풍수학적으로 학습 분위기에 맞는 방은 자녀의 반사회적인 성향이나 인격장애 등 정서적인 불안 등을 방지하기 위한 풍수적인 분위기이기도 하다.

그림이 너무 커도 좋지 않고 너무 작아서도 아닌 본인이 보았을 때 이 정도면 보통의 크기라고 느끼는 정도가 가장 이상적이다.

그림의 이미지가 너무 강력하거나 시선이 오래 갈만한 그림이나 사진은 학습 집중에 좋지 않으며 만약 자녀 방에 어떤 그림이 좋을지 선택하기가 어렵다면 차라리 그림이 없는 것이 오히려 더 좋을 수 있으며 그림이 하나도 없고 방 벽지를 파란색이나 하늘색으로 바꾸고 불필요한 잡동사니를 줄이는 것이 좋다.

그림이 아닌 명언이나 목표가 적힌 글씨 액자는 무조건 좋을까?

수능 준비나 고시 공부 중요 자격증 등을 준비하는 자녀는 그림보다 글씨 액자가 더 좋을 수 있다.

자녀 방의 그림은 자녀의 미래가 달렸어요
학습에 집중하기 좋은 그림

심리학적으로 보았을 때 인생이 걸린 중요 시험을 앞두고 있다면 항상 긴장된 상태가 많아 좋은 문구나 명언. 목표를 상징하는 문구를 보았을 때 심적으로 더 자극받아 공부를 게을리하지 않는 심리적인 효과가 있다고 한다.

마치 다이어트를 할 때 몇kg 이하의 목표 설정하고 실행하였을 경우 냉장고에 날씬한 모델 사진을 붙여 놓는 것과 같은 이치라고 할 수 있다.

하지만 글씨 문구도 장래를 생각해야 하는 고등학생 이상이나 성인의 경우 심리적인 효과가 있으며 어린 자녀라면 글씨 문구보다는 그림 액자가 더 좋은 영향을 받는다.

자녀 방의 그림은 자녀의 미래가 달렸어요
학습에 집중하기 좋은 그림

그림의 위치는 책상에 앉은 상태에서 고개를 살짝 들면 보이는
위치가 가장 이상적인 위치다.

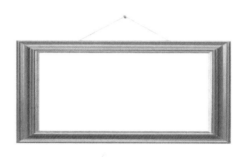

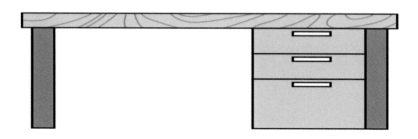

자녀 방의 그림은 자녀의 미래가 달렸어요

학습에 집중하기 좋은 그림

단조로운 식물이나 자연적인 그림이 학습에 가장 좋은 그림이다.

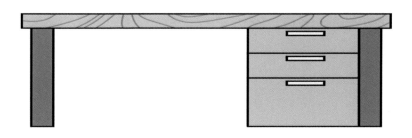

자녀 방의 그림은 자녀의 미래가 달렸어요

학습에 집중하기 좋은 그림

누군가의 얼굴 사진이나 그림은 집중에 방해가 된다.

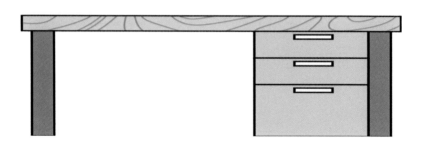

자녀 방의 그림은 자녀의 미래가 달렸어요

자녀의 창의력을 발휘하는 그림

자녀 방의 그림은 자녀의 미래가 달렸어요
자녀의 창의력을 발휘하는 그림

자녀의 작은 아이디어 하나가 세상을 변화시킬 수 있다.

IT 개발자나 발명가 예술가와 각 분야의 창작자 등 창의력을 발휘해야 할 수 있는 일은 무궁무진하게 많으며 앞으로는 더 크게 늘어 날 것이다.
창의력을 발휘하기 위해서는 고정관념을 깨고 자유분방한 사고력을 가져야 하기에 꼭 풍수적으로 좋은 그림을 걸어 놓는다는 생각도 조금은 벗어나는 것이 좋다.
그렇다고 엽기적이거나 기괴한 그림이 좋다는 뜻이 아니라 시선을 강하게 받거나 무언가를 생각하게 만드는 그림. 알 수 없는 독특한 그림. 넓은 사고력을 만드는 세계지도 그림도 나쁘지는 않은 그림이다.

특이한 느낌도 좋지만. 어두운 이미지는 좋지 않다.

무엇을 표현하는지 알 수 없지만 생각하게 만드는 그림. 상상하게 만드는 그림. 정답은 무엇일까? 생각하게 만드는 미스터리 한 그림도 창의력을 발휘할 수 있는 그림이다.

자녀 방의 그림은 자녀의 미래가 달렸어요

자녀의 창의력을 발휘하는 그림

창의력 향상에 도움 되는 그림

자녀 방의 그림은 자녀의 미래가 달렸어요
사회성과 도덕성이 발달하는 그림

방에 걸려 있는 그림 하나로 사회성과 도덕성이 발달한다. 라고 주장 하는 것. 아무리 풍수학적이라도 그림 하나로 사람들 달라 진다는 것에 대한 현실적으로 의문이고 너무나 비현실적인 주장이라고 생각하는 것이 사실이다.

특히 성인이 아닌 아직은 사고력이 미 성숙한 자녀에게 말이다. 공공시설이나 특정 장소에서 사람들이 아무리 질서를 지키지 않아도 공중도덕을 의미하는 포스터나 그림을 안 놓을 수는 고 말을 듣지 않는 학생들만 보였다는 학교라도 사회성과 도덕을 강조하는 교육용 영상 시청이나 사회성을 키우는 체험학습도 안 하지는 않을 것이다.

엽기적인 그림이나 기괴하고 폭력적인 그림을 놓지 않는 것도 도움이 되지만 민주주의를 상징하는 그림 질서 바른 느낌의 그림과 정의 등 그림의 눈에 보이는 영향은 그림의 기운에서 서서히 스며들며 에너지의 영향을 받는 것이다.

과거에는 도덕적으로 문란했던 시대가 있었다.

그 이후 도덕성을 유도하는 포스터를 사람들이 눈에 보이는 곳에 붙이기 시작했으며 그 대표적인 포스터가 '불조심'과 '질서를 지킵시다'라는 포스터였다.

자녀 방의 그림은 자녀의 미래가 달렸어요
사회성과 도덕성이 발달하는 그림

사회성과 도덕성이 성장하는 대표적인 그림

손님을 끌어모으는 마법 같은 그림

식당에 있으면 좋은 그림

식당에 걸면 좋은 그림은 가정집과 동일하지 않다.

식당은 불특정 다수가 스쳐 지나가는 공간이며 허기진 상태로
식사하려는 공통적인 목적이 있기에 그런 용도에 맞는 그림이
최고의 풍수적인 그림이다.

손님을 끌어모으는 마법 같은 그림
식당에 있으면 좋은 그림

가정집은 물 그림이나 해바라기와 황금색 빛이 나는 그림이 재물이 들어오는 그림이라는데 식당도 그런 그림을 걸면 재물의 기운이 들어오지 않을까? 하는 생각을 할 것이지만 식당과 가정집과 풍수적으로 좋은 그림은 조금 다르며 가정집의 현관 입구와 다르게 식당의 입구는 불특정 사람들이 다니는 공간이라 풍수적으로 기운의 영향이 가정집과 다를 수밖에 없는 것이며 가정집은 집에 사는 식구들이 밖에서 재물의 기를 가지고 들어오라는 의미이지만 식당은 손님이 많이 들어와야 재물의 기를 얻는 것이기에 가정집과 식당에서 같은 그림은 풍수적으로도 영향이 똑같을 수는 없기 때문이다.

사람을 부르는 기운을 가진 그림을 걸어두자.

사람들은 식당을 왜 가는가? 이것만 알면 식당은 어떤 그림이 좋은지 단순한 것인데 식당을 운영하시는 분들은 이것을 복잡하게 생각하는 경향이 있으며 아름다운 풍경화 그림? 행운이 들어오는 그림? 시장하고 속 안이 공허한 사람에게 식욕을 자극 시킬 수 있고 다음에는 저것도 먹어봐야지! 하는 음식 사진이 더 좋지 않을까?

손님을 끌어모으는 마법 같은 그림
식당에 있으면 좋은 그림

식당 입구와 내부는 식욕을 자극 시키는 음식 사진이나 식당에
서 판매되고 있는 메뉴를 소개하는 사진이 가장 이상적인 사진
이다.

손님을 끌어모으는 마법 같은 그림
식당에 있으면 좋은 그림

역사와 전통이 있는 식당은 원조 창업자의 사진

고인이 되신 분의 사진이라도 3대가 운영하고 있고 역사와 전통이 있는 식당은 원조 창업자의 사진을 걸어 놓은 것이 조상이 물려준 음식 맛은 지금까지 전통 대대로 이어지고 있으며 음식에 대한 자부심을 고객들에게 어필하는 것이며 식당에 대한 긍정적인 이미지와 영향을 심어준다.

주방장과 요리사의 사진은 고객에게 신뢰를 준다.

과거나 지금이나 잊을 만하면 나오는 언론 보도 중 일부 식당들의 청결 문제나 음식으로 장난을 해 음식점에 대한 신뢰가 낮아지는 일이 어제오늘 일이 아니다.
코로나 시절에 반찬의 재탕이나 주방에서 흡연 중에 음식을 만드는 모습은 모두에 충격적인 일이 아닐 수 없다.
현재 주방에서 요리하고 있는 주방장이나 쉐프들의 사진을 걸어 놓은 것은 음식에 대한 자부심이나 고객들에게 신뢰를 심어주는 이미지의 역할을 한다.

손님을 끌어모으는 마법 같은 그림
식당에 있으면 좋은 그림

주방장과 요리사의 사진을 식당 입구에 걸어두는 것도 최소한
이 집의 음식에 대한 신뢰나 음식점의 긍정적 이미지를 심어줄
수 있다.

손님을 끌어모으는 마법 같은 그림
카페나 커피숍에 있으면 좋은 그림

카페나 커피숍은 어떤 그림이나 사진이 좋을까?

카페나 커피숍은 커피나 음료의 맛을 기대하고 방문하는 사람보다 약속을 위한 방문이나 단순히 시간을 보내기 위한 방문. 분위기가 독특한 카페라면 그 분위기를 느끼기 위한 방문. 대형 프랜차이드나 체인점식 카페가 늘어나면서 말이 많고 문제가 되고 있던 공부족이나 의미없이 시간을 보내고 있는 일부 사람들이 주 고객층이다.

손님을 끌어모으는 마법 같은 그림

카페나 커피숍에 있으면 좋은 그림

카페나 커피숍은 시선을 끄는 그림이나 사진도 괜찮다.

여기가 카페인지 전시회장인지 구분이 되지 않을 정도로 다양하고 많은 그림이나 특정 분위기를 넣은 사진을 걸어 놓아도 좋은 장소가 유일하게 카페나 커피숍이며 고객을 우리 가게로 유도하는데 오히려 그런 그림이나 사진이 더 좋을 수가 있으며 그런 독특함의 분위기 때문에 고객은 더 늘어날 수도 있다.

고전적인 느낌의 과거 배우의 그림이나 올드한 느낌의 그림도 카페이 걸어두기 좋은 그림이다.

카페의 좋은 그림이나 사진은 식당이랑 다르다.

물론 카페나 커피숍도 음료와 빵이나 케이크 제과 같은 요기 거리도 판매한다.

그대도 대표적인 아이템이 커피이기 때문에 이런 사진을 걸어 놓는 가게가 많을 것이지만 카페나 커피숍은 커피 맛집으로 찾아가는 경우는 드물며 커피가 맛있다는 느낌보다 오히려 분위기를 팔아야 고객을 끌어모을 수가 있다.

손님을 끌어모으는 마법 같은 그림
카페나 커피숍에 있으면 좋은 그림

컨셉을 정해서 비슷한 느낌의 사진을 걸어두자.

어떤 창업 컨설턴트는 카페나 커피숍이 평균적인 통계에서 고객
이 다녀가는 회전율이 빠르지가 않는 편에 속한다고 한다.
그래서 맛으로 승부보다 분위기로 승부 해라. 는 말이 있다.
예를 들어 올드한 느낌의 컨셉이면 옛날 흑백 사진을 도배하듯
이 걸어두는 것도 괜찮으며 여기가 카페인지 영화관인지 구분
못 할 정도로 컨셉을 영화관 같은 카페 분위기로 만드는 것도
고객을 부르는 기운이 상승할 수가 있다.

판매하고 있는 아이템에 맞는 그림과 사진이 좋다.

매일 다양한 사람들이 다녀가는 장소와 가끔 손님이 올뿐 대체적으로 우리 가족들만 오는 가정집과 기운이 상승하는 그림과 사진은 다를 수밖에 없다.

술집을 운영하는데 젊은 층의 고객을 주 고객층으로 노려서 마치 클럽의 분위기를 내고 시끄럽고 빵빵한 사운드를 틀면 그것을 좋아하는 고객층은 클럽 같은 느낌을 즐기기 위해 방문할 수는 있다.

고객층의 타겟이 없고 이것도 아니고 저것도 아닌 밍밍하고 평범한 술집은 오히려 망할 확률이 높다고 한다.

장사로 재물 운이 상승하려면 가능한 매일 많은 사람을 방문하게 해야 한다.

만약 독특한 컨셉으로 많은 고객을 부르고 장사로 돈을 벌었다고 가정한다면 그 컨셉을 우리 가정집에 적용 시킨다면? 우리집을 그런 독특한 컵셉으로 만들어 버리면 우리 가정에도 재물을 부르는 기운이 적용될까? 하는 생각과 같은 이치이다.

그래서 가정집에 재물을 부르는 그림을 영업장에 걸어둔다고 해서 기 기운이 상승하지 않는다는 점이며 판매하는 아이템에 맞는 그림을 걸어두는 것이 맞는 법이다.

손님을 끌어모으는 마법 같은 그림

기타 업소에 있으면 좋은 그림

1. 의류 판매 매장

의류 브랜드 매장의 경우는 보통 전속 모델이 있다.

평소 관심 없는 브랜드라도 내가 좋아하는 유명 연예인이 모델로 한 브랜드는 그 연예인을 좋아하는 고객층은 그 브랜드의 옷을 구매로 이어지는 경우가 많다.

기업도 손해 보는 장사를 하지 않기 때문에 비싼 몸값을 투자하여 유명 연예인을 모델로 내세우는 것이다.

손님을 끌어모으는 마법 같은 그림

기타 업소에 있으면 좋은 그림

2. 특정 국가의 상품이면 그 국가를 상징하는 그림

힌두교의 종교용품 태국에서 수입한 생활용품 등 약간 이색적인 물건을 판매하는 가게는 그 나라를 상징하는 사진이나 그림이 좋은 풍수적인 기운을 살려준다.

손님을 끌어모으는 마법 같은 그림
기타 업소에 있으면 좋은 그림

3. 애견용품이나 동물병원

사람이 아닌 동물이 방문하시는 모든 분을 환영한다는 느낌의
표정이 담긴 사진이나 그림이 이상적이며 동물의 시선은 방문한
고객들에게 시선을 향해 하는 것이 더 좋은 이미지다.

주의
단 이런 사진은 가정집에 걸면 풍수적으로 좋지 않다.

손님을 끌어모으는 마법 같은 그림
기타 업소에 있으면 좋은 그림

4. 피부나 마사지 관리 샵

피부관리나 마사지 가게는 편안하게 관리받는 느낌의 그림이나
사진이 가장 좋으며 기타 그림은 없는 것이 좋다.
다른 마치 원장님의 취미를 확인 할 수 있는 피부와 관련 없는
그림과 사진을 걸어두는 것은 좋지 않다.
마치 피부과 병원에 있을 만한 의학적인 용어나 문구가 많이 적
힌 포스터 같은 이미지는 좋지 않으며 시선을 강하게 받거나 독
특한 느낌의 그림도 좋지 않다.

스마트폰 배경으로 넣어야 좋은 그림

재물의 기운이 상승하는 배경 그림

그림은 우리 집에 안 걸어두면 그만이지만

스마트폰 없이 단 하루라도 살 수 있나? 누군가가 묻는다면 바로 물음표가 나올만한 질문이다.

가정집 안에 그림은 안 볼 수도 있고 본다고 하더라도 한두번 정도만 보고 그칠 수 있지만 스마트폰 잠금 화면이나 배경 화면은 한두번이 아닌 매일 수십 번도 넘게 볼 수 있다.

그래서 스마트폰에서 나오는 그림의 기운은 사람에게 적용 안 될 수가 없다.

스마트폰 배경 그림은 어떤 그림이 좋을까?

가정집에 걸어두면 풍수적인 그림이 스마트폰에도 적용이 동일할 거라 보통은 생각할 수 있지만 사실 조금은 다르다고 볼 수 있다.

맑고 자연적인 그림이나 풍성해 보이는 식물이나 과일 그림은 풍수적으로 좋게 적용되지만 재물 운을 상징하는 그림은 조금 현실적인 그림이나 사진이 더 좋다.

특정 사물이나 요소가 아닌 단조로운 색깔을 넣는 경우가 대부분이지만 그런 이미지는 특정 기운이 적용되지 않는다.

스마트폰 배경으로 넣어야 좋은 그림

재물의 기운이 상승하는 배경 그림

재물 운이 상승하는 스마트폰 사진

현금은 지폐 한두 장만 있는 것보다 이왕이면 많은 현금과 손에
쥐고 있는 사진이 더 좋으며 금 배경보다 금 자체의 사진이 재
물 기운 상승에 더 효과가 있다.

스마트폰 배경으로 넣어야 좋은 그림

성공과 명예운이 상승하는 배경 그림

성공과 명예운이 들어오는 스마트폰 사진

가정에 걸어두는 사진과 거의 동일하며 실제 기업의 CEO들이
이런 사진을 배경으로 많이 넣는다고 한다.

스마트폰 배경으로 넣어야 좋은 그림

행운이 찾아오는 배경 그림

대표적으로 많은 넣는 이미지가 꽃이나 식물 그림이다.

꽃이나 식물 그림은 불행한 일이 오지 않는 무난한 삶을 의미하
며 네잎클로버 그림은 그대로 행운을 상징하는 그림이다.

기괴한 표정이나 엽기적인 그림은 좋지 않다.

설마 이런 이미지를 배경 화면으로 넣는 사람은 없을 거라 생각
하지만 이런 비슷한 이미지는 비인격적인 사고와 정신착란 등을
유발할 수 있다.

종교적인 그림을 가정에 걸어두는 것은 좋은 걸까?
종교적인 그림을 걸어둔다면?

나 이런 종교 믿는 사람이요! 하며 광고하면 안 된다.

우리가 친척 집이든 지인 집이든 남의 집을 방문 했을 때 눈에 딱 보이는 현관 입구 쪽에 특정 종교를 상징하는 그림을 한번이라도 본 적이 있었는지 생각해 볼 필요가 있으며 만약 종교적인 그림이나 사진을 마치 홍보하듯이 우리 집안은 이런 종교를 믿는 집안이요 말하듯 종교적인 그림을 걸어두었다면 그 집안은 성공하거나 부자인 집이 있었는지도 생각할 필요가 있다.

종교적인 물건이나 책과 같은 물품은 간직하고 소지 할 수 있지만 그림은 가급적 집 안에 걸어 놓지 않는 것이 좋다.

단지 그림을 걸어 놓지 않는다고 종교에 대한 믿음과 신앙심이 깨지지 않으며 만약 꼭 그림이나 사진이 있어야 한다면 가정집에 방문 손님 눈에 잘 보이지 않도록 아주 작거나 탁상용 액자로 놓아두는 것이 좋다.

다중이용시설인 식당이나 카페인 경우도 마치 이 종교를 믿는 사람만 오세요. 말하듯 특정 종교를 상징하는 그림이나 사진을 손님들이 눈에 잘 보이는 곳에 걸어 놓는 가게는 없을 것이며 만약 있다고 하더라도 그 가게는 분명 결국은 망하는 가게가 되며 종교로 갈라치기 하는 영업장은 절대 오래 못 가는 것이다.

종교적인 그림을 가정에 걸어두는 것은 좋은 걸까?

달마도 그림은 과연 좋은 그림일까?

달마도 그림은 액운을 막는다?

달마도 그림은 지금도 특정 기운 상승에 대한 효력에 대해 논란이 많은 그림이다.

달마도 그림은 수맥을 차단하는 도움이 된다? 라는 말이 있고 가정의 액운을 막아준다더니 가정이 번영하는 기운이 들어온다더니 재물 운이 상승한다? 라는 말도 있으며 어떤 사람은 귀신을 퇴치하는 도움이 된다고 주장하는 사람도 있다.

이 같은 논란 때문에 언론 기사에도 보도 된 적이 있으며 과거에는 미스터리와 오컬트적인 색깔이 강한 시사 TV 프로에도 달마도 그림을 소재로 방영된 적이 있지만 명확한 답이 나온 적이 없다.

달마도의 그림은 특정 기운이 적용되어 매우 좋은 그림이다. 라고 주장하는 사람에게 달마도의 그림은 원래 어떤 그림이었는지 달마도의 달마는 어떤 사람인지 묻는다면 대답을 명확히 하는 사람은 많지 않다는 것이다.

먼저 달마도의 달마는 달마 선사라고 불리며 성종이라는 불교 종파의 창시자이며 조선 후기의 김명국 화가가 그린 달마도 그림이 가장 유명한 그림이다.

종교적인 그림을 가정에 걸어두는 것은 좋은 걸까?

달마도 그림은 과연 좋은 그림일까?

달마도 그림은 우리나라뿐 아니라 중국이나 일본에도 많이 구매가 이루어지는 그림이며 특정 종교를 믿는 사람의 가정집에 많이 붙여 놓기도 하며 인터넷이나 종교용품점에 많이 팔기도 하며 장사를 하는 가게에도 많이 걸어 놓기도 하고 선물용으로 많이 사용하기도 하는 그림이 달마도이다.

달마도 그림이 사업적인 목적으로 많이 거래되고 있다는 것은 어느 정도 대중화가 되었다는 의미이며 이것은 종교적인 의미보다는 예술적인 의미로도 소지하고 있다는 의미가 될 수가 있다.

하지만 예술적인 달마도 그림을 걸어 놓는다면 꼭 달마도가 아니더라도 달마도보다 더 좋은 예술적인 그림은 얼마든지 많으며 꼭 달마도를 예술적인 의미로 걸어 놓을 필요가 있을까? 하는 생각이 든다.

달마도는 불교를 상징하는 대표적인 그림이다.

달마도를 종교적인 의미로 걸어둔다면 대량으로 복사해서 판매하는 만물상이나 인터넷에서 구매한다는 것도 이해되지 않는 부분이 있으며 기독교나 천주교에서도 그 종교적인 물건을 신도에게 전달할 때 '성사' 라는 것을 하며 가치를 높이기 위해 목사님이나 신부님이 직접 관여하고 주관한다.

종교적인 그림을 가정에 걸어두는 것은 좋은 걸까?

달마도 그림은 과연 좋은 그림일까?

이와 마찬가지로 달마도 그림을 종교적인 의미로 생각한다면 최소한 사찰에서 얻어 오거나 스님이 직접 그린 달마도 그림을 소지하는 것이 종교적인 의미가 담겨 있지 않을까 생각되는데 왜 대량 복사된 달마도 그림을 걸어두고 우리 집안에 좋은 기운이 들어오기를 바라는 것일까도 생각해 볼 문제이며 거래나 영리 목적으로 이루어진 그림은 종교적인 신념이 담겨 있지 않기 때문에 차라리 걸지 않는 것이 더 좋다는 의미이다.

달마도 그림을 걸어둔다면 어디에 걸어 놓는 것이 좋을까?

달마도 그림을 종교시설에 걸어둔다면 그 그림이 대문 역할을 하며 이것을 다른 종교로 비유한다면 교회 입구에 예수님 그림이나 십자가가 있듯이 말이다.
풍수적인 것을 떠나서 가정집 현관이나 영업장 입구에 종교적인 그림을 걸어 놓는 것은 그 종교에 대한 존경심이 없다는 의미일 수도 있다.
그래서 종교적인 그림은 입구와 많이 떨어진 안쪽이나 타인의 시선에 잘 들어오지 않는 아주 작은 그림 탁상용 액자 그림이 더 좋은 것이다.

종교적인 그림을 가정에 걸어두는 것은 좋은 걸까?

달마도 그림은 과연 좋은 그림일까?

달마도는 어떤 효과가 있을까?

달마도의 달마 선사는 인간의 경지를 넘어선 신 같은 존재이며 종교의 신앙심과 믿음이 강한 사람에게는 신 같은 존재로 섬기기에 마음의 안정성이나 심리적인 불안감을 해소하는 것이 도움이 된다.

하지만 달마도 그림의 기운적인 효과는 딱 거기까지며 그 이상 그 이하도 아니다.

물론 타 종교의 그림이나 사진도 마찬가지이며 풍수학의 고전에서 종교적인 그림이 특정 기운의 효력이 발생한다는 근거나 자료가 없다.

좋은 그림을 걸었는데 변화가 없다면 이렇게 해보세요

약도 정성을 들여야 효과가 있는데 왜 그림은?

효과가 없다면 정성을 들어야 한다.

현대 시대에는 약은 그대로 먹지만 옛날 우리 조상들은 약의 효과를 보려면 그만큼 정성을 들여야 그만큼 효과를 보는 것이며 이 말은 부정하는 사람은 거의 없을 것이다.

우리가 음식을 먹을 때 그 음식의 깊은 맛을 보려고 마트에서 판매하는 냉동이나 냉장 식품이나 음식이 깊은 맛이 나올 것이라고 기대하며 먹는 사람도 없을 것인데 그림은 그냥 걸어 놓는다고 해서 기운의 효과가 바로 나오기를 바라는 것과 같은 이치가 아닐까? 생각이 든다.

효과 좋은 약을 쓰는 것. 정성과 시간을 투자해야 하고 깊은 국물 맛이 나는 설렁탕도 인터넷에서 냉동식품 구매가 아닌 수십년 동안 같은 자리에서 장사를 해온 가문 대대로 물려받은 설렁탕집에 찾아가야 그 맛을 볼 수 있는 수고스러운 부분도 있다.

좋은 기운이 흐르는 그림도 마찬가지다.

먼지가 쌓이면 흉한 기가 들어오기 때문에 집안에 좋은 기가 흐르기 위해서는 한번 식 청소를 한다.

그림도 마찬가지며 그림도 먼지가 쌓이지 않기 위해 꼭 청소해야 하며 아무리 좋은 기운이 들어오는 그림이라도 먼지가 쌓이도록 방치하면 오히려 흉한 기가 돌 수가 있다.

좋은 그림을 걸었는데 변화가 없다면 이렇게 해보세요

약도 정성을 들여야 효과가 있는데 왜 그림은?

그림을 세계적인 명화 보듯이 감상하자

우리가 그림을 보고 있으면 그 그림에서 나오는 기운을 통해 무의식적으로 우리가 하는 말이나 행동이 달라진다.

심리학에서도 사람의 행동과 말이 무의식적이라는 학문적인 통계적 결과가 있으며 풍수학적으로 좋은 그림은 우리의 행동과 말이 긍정적으로 나타나며 그런 긍정적인 행동과 말을 통해 나와 우리 가족에게도 긍정적인 에너지와 기운이 자연스럽게 들어오는 것이다.

'아무것도 안 하면 아무것도 이루어지지 않는다'라는 말이 있듯이 우리 집에 걸려 있는 풍수적으로 좋은 그림은 아무 곳에서 보기 힘든 명화라고 생각하고 의도적이라도 그림을 보는 습관은 가질 필요가 있으며 그 그림에서 나오는 기운에서 무의식으로 바른 행동과 말이 나오며 긍정적인 생각을 자연스럽게 가지게 된다.

'행운'이라는 것은 때가 되면 스스로 찾아오는 것이 아니라 우리가 만드는 것이며 긍정적인 말과 행동 생각으로 통한 나와 우리 가족에게 좋은 기운과 행운이 들어오는 마법 같은 기적은 반드시 들어오는 것이다.

-END-

- 그림에서 나오는 마법의 기적 -

발 행 : 2023-12-12
저 자 : 양산의영웅
펴낸곳: 부크크
가 격 : 15,000원

책의 내용에 대한 문의는 반드시 답변해 드립니다.
카 톡: caa2020
메 일: caa2020@hanmail.net